시 쓰며 사는 삶

'그저 숨 쉬는 것이 전부가 아닌 삶을 위하여.'

https://brunch.co.kr/@51caa5ecd47b43e

발 행 | 2024-05-30

저 자 | 라면

펴낸이 | 한건희

펴낸곳 | 주식회사 부크크

출판사등록 | 2014.07.15(제2014-16호)

주 소 | 서울 금천구 가산디지털1로 119, A동 305호

전 화 | 1670 - 8316

이메일 | info@bookk.co.kr

ISBN | 979-11-410-8735-7

본 책은 브런치 POD 출판물입니다.

https://brunch.co.kr

www.bookk.co.kr

시 쓰며 사는 삶

삶

라면 지음

CONTENT

안부   8

사색   10

얼음을 녹이며   12

떼까마귀   15

사탕   18

삶은 낙지   20

보드게임   24

통돌이 세탁기   26

판다   28

밤팽이   31

똑딱   34

미아   36

강가에서   39

의자가 쓰러지다   42

악령   45

새벽 당직   48

등반일지   50

파도 작곡   54

하늘빛   56

분갈이   58

동백나무 팻말   60

독서   62

건조   64

고요한 숲   66

같은 자리   68

종이학   70

꽃샘추위   74

창공과 바다   77

아찔한 저녁   80

여름풀   82

수석   86

밑동   89

손바닥 과실   91

생각과 나비   94

일반 쓰레기   97

검은 새   99

주머니 같은 삶   102

별자리   104

제비꽃   106

유리 닦기   108

표면   111

찻잎   113

우편   114

아지랑이   116

섬들   118

돌아앉은 사람   120

선생님과 목련   123

의식용 가면   127

이중생활   130

구절구절   133

노부부와 개 한 마리   135

안부

몸 건강히.

먼 곳에서 돌아오는 몸은 새와 물고기

마음은 어디든 상관없어요

어디에서든 나무처럼 분광하죠

건강은 몸에 좋은 것입니다

몸이 건강하다는 말은

몸이 몸에 좋은 것입니다

몸이 좋아요

멀리 떠나가 버린 몸이 좋아서

마음은 건강할 수 없어요

빛이 유성우 모양으로 떨어지며

별빛에 물든 마음 나무를 길러 내요

아주 메마르고

아주 오래된

사색

긴 사색에 질려

고개를 뒤로 젖히면

흐릿한 눈에 빛이 번집니다

번지는 빛은 과거처럼 늘어져

고향으로 내려오던 열차에서 본

길고 지루한 영화를 상영해요

영화 결말:

'이 의자 위의 생애 보여줄 것 하나 없이 남루해서요

정적, 합니다. 이틈에 기도합시다.'

무명 비평가의 한 줄 코멘트:

'비울 것 없어 가벼운 내게

완결은 간편한 이사 같아서

손 없는 날 외로워 울던 나병 환자 같았죠'

빛이 초점에 모여듭니다

하얀 벽면이 보입니다

숨이 턱턱 막힐 정도로 새하얀

얼음을 녹이며

오후의 빛

이파리 위에서 눈을 부시고

당신에겐 빛의 그림자로 읽혀요

당신도 나도 아직 존재하지 않아요

그러니 얼음을 녹여요

수천의 지문이 남도록 어루만져요

산이 된 당신 불경이 된 당신

아이의 발에 기꺼이 차이는 공이 된 당신

너른 들판 위에서 뭉쳐지며 매듭지어지는 당신

당신의 손길로 얼음을 녹여요

시간을 낳아

우리 함께 존재하기로 해요

저녁의 어스름

노을 진 수면

주홍 글씨 얼음이 녹습니다

만 겹의 나선 지문 위

당신과 내가 합장합니다

시간이 배꼽에 모여 연꽃이 핍니다

떼까마귀

까마귀는 집으로 돌아온다

반드시

철새의 계절

까만 별을 엎질러 한낮이 새까맣게 운다

어떤 까마귀는 영웅처럼 땅을 밟고

죽어 수많은 까마귀를 맺는다

-묘한복음 24장12절

울음 하나에 깃털 하나

심지 않았으나 무성한 검정

동공 구슬 같은 먹물 비가 쏟아진다

추위를 피해 숨어든 방 안에도

까마귀 울음소리 자욱하다

돌아온 도시에 돌아온 것들이 너무 많아서

경건함 어둠에 파묻힌다

시꺼메진 몸에

날개가 돋아나면

가장 먼저 그곳으로 떠나고 싶었다

발에 묶어놓은 추에선 맑은 쇳소리가 나고

무수한 비명이 나를 응시하고

사탕

목줄을 풀어주곤

급히도 떠나간 당신께

마당 멀리도 나가보고

뒷산에도 올라보고

메말라가는 시내에도 홀로 나가 보았습니다

어느 곳에서도

자유는 낯설고, 쓰더군요

그 안에서 단 맛을 찾아보려고

입 속에서 끊임없이 굴리면

닳아가면서 남는 유언

"이제 그만 자유롭게 살거라"

잠들기 전 제 목을 스스로 졸라 봅니다

숨이 컥컥 막힐 때까지

목구멍을 좁힙니다

단맛이 날때까지

그 이름 굴려 보려고요

그때까지는 삼킬 수 없어서요

삶은 낙지

삶은 계란을 까먹으며

부서진 껍데기 사이를 잇던

보이지 않는 끈을 본 것 같기도 했지

살아 꿈틀거리는 낙지를

토막토막 뭉텅뭉텅 썰어내고

여전히 꿈틀대는 다리를

기름장으로 절였지

그것이 오늘의 안주였네

소주에 취해 벌게진 얼굴로 엉엉 우는

가시투성이 성게처럼

네가 물었네

아무것도 느껴지지 않고

비애도 열애도 없는 이 삶을

끝까지 잇게 만드는 끈은 어디 있느냐고

기름 속에서 꾸물거리는 낙지의 수족을

나는 열렬히 내려다보고

말뚝에 매인 건강한 수소는 낙지를 먹으며

수십 마리의 암소와 교미를 하고

그들이 낳은 암소는 젖을 짜이고

거세된 수소는 육우가 되는, 것이 삶이라 말했네

"수소가 뭐야. 숫소겠지"

가장 단순한 원소처럼 너는 웃고

기름 속에서 꿈틀거리는 낙지가 죽은 입으로 말했지

삶은 계란

껍데기를 깨부수고

그 하얀 단백질을 내게도 들이밀어 주오

단백질로 이루어진 질긴 끈은

네 벌어진 이 사이에 끼여서

여간해선 빠지질 않고

네가 찾던 끈을 보려면

거울을 오래 응시하라고 했지

가장 단순한 사람처럼 웃으면 보일 거라고

보드게임

이곳은 보드게임방

카드 수를 헤아리고

서로 얼굴을 응시하며

내기를 하고 있었지

게임의 규칙대로

상을 받고 벌을 받고

가장 점수가 낮은 사람은

그날의 게임비를 물어주고

하지만 우리는 함께 나왔네

웃으면서 나왔네

집으로 돌아와

혼자 남은 골방에서는

잃은 것이 많았던 과거를 헤아리네

그땐 한 명은 웃고

수 명은 죽을 것처럼 펑펑 울었고

함께라는 생각은 죽어도 하지 못했는데

통돌이 세탁기

더러워진 나를

세탁기에 넣어요

세제를 잔뜩 넣고 돌려요

볕 잘 드는 날,

바람 잘 통하도록

창문은 모두 열어젖히고

이젠 새하얘진 몸을

천천히 말려요

지워지지 않는 오물처럼

썩어가던 기억들

빛이 모든 걸 앗아가기를

웃으며 나를 개는 당신

손에서 잔뜩 향기를 풍기는 당신

부디 귀띔이라도 해주세요

저, 정말 다시 돌아갈 수 있나요

판다

서로 주고받을 것이 없으면

친구가 될 수 없게 된 나이에

문득 판다라는 동물을 알게 된다

육식 동물의 탈을 쓰고

평생 죽순만 발라 먹는 미식가는

흑백만으로 그려진다

새벽이 쌓인 만큼

사람은 스스로를 섬이라 부르게 된다

수위가 높아지면 잠기고

파도가 세지면 부서지며

일정한 간격으로 잘려 나가는

토막마다 흑과 백이 있다

나는 흑이고 너는 백이다

너는 흑이고 나는 백이다

합쳐지면 판다처럼 평생 채식주의자가 되는

단절이다

우리 안에서

판다가 유머를 펼쳐놓는다

판다가 판다를 낳는다

새끼손가락 마디만 한 쌍둥이였다

밤팽이

밤공기가 소란스럽기를 멎는다

생각하기 좋은 고요함이다

몸을 구겨 넣어본다

많이 움츠러들었던 눈 물로 적신다

들려오는 소리를 배열하고

그 사이엔 정적의 볼륨을 키우며

낮 동안 걸으며 남겼던 흔적을

물걸레로 닦는다

광이 날 때까지 닦는다

이제껏 그렇게 흘려보냈던 밤들을 꿰어본다

실로 엮어 건조시킨다

지나친 껍데기들을 헤아려 본다

인적 없는 도서관 노사서처럼

말라가는 껍데기에 칸을 나누어 본다

많은 공실이 있었으나

고요한 밤공기가 스미고

별빛을 머금은 껍데기에서

날숨이 새어 나온다

시린 밤바람 같은

밤을 닮아가고 있었다

달을 등 뒤에 매달고 한껏 움츠러들며

똑딱

똑딱거리는 것은 서로 닮았다

시계와 링거와 꽃과 사람의 목

밤부터 새벽까지 똑딱거리며

오늘의 영혼을 필사한다

미래를 구겨 부스러지는 상을 빚는다

구멍을 뚫는다 물을 들이붓는다

창백한 종이와 살갗이 구분이 되지 않는

스산한 달빛의 새벽

뼛가루를 툭툭 떨어뜨리는 소리에

잠은 조금씩 닳아 가고

닳아 없어진 부분에

창백한 빛이 비쳐 나방이 온다

날개가 머물다 간 자리에

꽃말이 마구 엉겨 붙는다

꽃이 페트병 안에서 수액을 맞는다

똑딱, 일정한 리듬으로

미아

되짚어 보면

아주 어렸을 적에는 그랬어요

길을 찾지 못해 결국

오줌으로 바지를 적셔버렸던 시절에는요

미아인 채 집에 돌아오면

갈래갈래 나뉜 길이 사슴 뿔처럼 보였어요

뿔난 짐승이 콧김을 세게 불면

겁 많은 나는 죽을 것처럼 떨었습니다

그 후로 나는 네 발이 달려 있거나

뿔이 나 있는 것들은 가까이하지 않았습니다

사슴이나 기린이나 코뿔소나 애벌레나 달팽이

얼마나 나를 쉽게 겁먹게 하는지

아주 어렸을 적 나는 뿔 하나 없는 미아였거든요

안쪽에 뿔이 잔뜩 자라난 지금은

어디로 갈지 갈피를 잡지 못해

자라난 뿔을 깎아 모아놓습니다

지금은 또 뿔이 너무 많아서

조소를 배우는 중이거든요

강가에서

익숙한 꿈속

강가를 떠돌다 느낀

익숙한 숙취

물에 다가가면

까만 소용돌이

익숙한 눈을 보았고

몸 위를 밟고 지나가는

유령의 행렬을 보았네

축축한 악몽이 침대를 적시고

습기가 한 뼘 더 몸을 차지하면

불투명한 팔뚝을 통해

바닥이 내려다 보였지

창밖은 밤

별이 총총한 검은 수면이

유리 너머로 흐르고

게자리가 먼 곳으로 저물기 시작한다

이제 곧 사자의 시간

송곳니를 날카롭게 갈아야지

의자가 쓰러지다

의자가 쓰러졌다

담겨있던 햇빛이 쏟아져

걸레로 닦아냈다

앉음 없이 의자는 누워 있고

누워있는 의자는 이상하지만

천장을 향해 뻗은 다리에

햇빛이 천천히 스며들기 시작했다

먼 세월이 지나면

모든 쓰러진 의자엔

이끼가 하얀 빛으로 자라날 것이다

그런 미래는

쉽게 떠올릴 수 있는 것이 아니고

별안간 떨어진 벼락처럼

의자가 쓰러졌을 때

받아낸 꽃불이 귀띔해 주었다

의자는 다시 서지 않을 것이다

곤란하지만

스미는 햇빛이 남아 있다

빛을 받아 낼 시간이다

악령

지난밤은 악령과 함께였어요

그것은 나로 하여금

영과 악을 나누게 하고

아침이 될 때까지 복통을 앓게 했죠

모서리 없이도

무수히 많은 등뼈를 끊어내며

빛으로 된 알을 낳고

분리한 영과 악을 거기에 넣어요

빛이 방 안으로 스미면

구석에 혼자 웅크리고 앉아 울고

어둠으로 달아나

이 긴 밤 동안 나타나지 않던 영을 저주하고.

작은 내가 울면

무수한 작은 악령들이 배를 잡고 웃고

두 동강 난 큰 악령은

이제는 다시 기워내라고 으박지르고

악다구니를 견뎌내면

아침엔 영과 악이 얼기설기

한껏 영악해진 나는

지난밤을 성장통이라 위로합니다

새벽 당직

술집에 뛰어 들어간 개를 상황실로 데려왔다

케이지에 들어간 개는 벽을 긁고 바닥을 긁고

밤이 새벽으로 숨넘어가는 동안 짖고 짖고

도무지 잊히지 않고 잊히려 하지 않고

새벽안개 속에서 케이지는 열리지 않아

창살 사이로 까만 눈만 마주 본다

구청 아래로 시선을 내리면

사방이 도로뿐인데

그 어디도 길이라 부를 수 없는

잘못된 작명의 시절이 있었다

미아의 품속으로 파고들던

천진난만한 실종의 계절로

발자국만 남긴 개가 사라지고

다가온다던 아침은

개의 털처럼 새하얘

눈꺼풀 안쪽에 드리운 그림자 같았다

등반일지

산이 있었는데 파헤쳤습니다

뼈가 보일 정도로 처참하게요

등뼈를 따라 오르면

좋은 전망이 보여요

높은 아파트가 있고

더 높은 아파트가 있고

하늘이 구름을 걸어놓고

나를 바라보더군요

가을이라지만 아직 햇살이 세서

그늘에 숨었습니다

응달에도 낮이 있고 더 한낮이 있고

하늘이 아까와는 다른 구름을 묻히고

나를 몰아세우고 따지고 묻고

아파트 창문에 묻은 사람들도

한 마디씩 덧붙이고

산이 있었는데요

이름 붙여지곤 발굴되었습니다

무덤을 파헤쳐

부모의 골을 파먹던 괴물처럼

골수를 들이키려고 산을 자꾸 오르고

내려가는 길엔 카페에 들러

하얀 구름을 갈아 넣은 빙수를 먹었습니다

산의 이름을 기억하려고

꾸역꾸역 입속에 밀어 넣었으나

혀에 닿으면 자꾸 녹아버리고 말더군요

그래서 그냥 괴물이 되었습니다

하얀 뼛가루가 테이블에 떨어지곤 얼룩으로 녹듯,

흐물흐물한

파도 작곡

파도는 머나먼 섬에 가닿으려고

매일 태어나고 죽는대요

특별한 것 없는 나의 일상에

파도 소리 끼얹고

눈을 감고 바다를 떠올렸어요

파도가 치고 부서지고 치고 부서지는,

귀 기울이면

머나먼 당신 일상으로 들리기도 하네요

어느새 저녁,

노을빛이 눈꺼풀을 두드리면

파도는 보랏빛이 되곤 합니다

어둡고 차가운 파도에

조금씩 깎여 나가다 보면

언젠가 황혼,

머나먼 곳에도 가 닿게 될까요

하늘빛

차 안에서 보는 풍경이 다를 게 뭐가 있겠어요

식당이 있고 학교가 있고 카페가 있고

아이들이 있고 할머니가 있고

정신없이 달리다 보면 빨간불이 되어 잠시 멈추고

멈춘 차 안

당신은 왼쪽 창을 보고

오른쪽 창을 보던 내가 왼쪽으로 시선을 돌렸다가

눈이 마주쳐 빨간불이 된 채로

시선을 재빨리 앞으로 돌리고

횡단보도를 지나가는

할아버지들이 있고 아주머니들이 있고 학생들이 있고

당신은 지나가는 구름을 보고

움직이면서도 참으로 앞도 아닌 무언가를 보고

보고도 보고도 다를 것 없는 그것들을 보려고

더러워지지 않도록 창문을 닦고

왼쪽 창문으로 침범하는 선명한 하늘빛에 눈이 시려

눈을 감았다가 뜨면 선명한 당신이 나를 보고 웃고

분갈이

반틈 시들고

반틈만 겨우 살았다

매주 물 주는 걸 잊지 않고

영양제도 챙겨주며

다시 살아나길 바랐다

바라는 마음은

너무 흔해서

아무도 감동시킬 수 없고

버리는 마음은

너무 지독해서

아무도 원하지 않았다

어떤 기분은

하루를 망쳐 놓고

끝자락에야 사람을 웃게 했다

반틈만 살아 남았다

여기 담았다가

저기로 옮겨 담겼다

동백나무 팻말

봄 햇살 받아내는 향기 머금은 꽃 덤불

몸을 비비며 노래를 웅얼거리는 강아지풀

쏘다니는 병아리 떼, 모이를 쪼는 암탉

외출하고 돌아온 하얀 잡종견 강아지

부뚜막에서 조는 새끼 고양이

성당에서 들려오는 아스라한 찬송가

마루에 펼쳐 놓은 책, 그 옆에 벗어놓은 안경

산에서 불어오는 바람에 흔들리는 까만 머리카락

마당 귀퉁이엔 피지 않은 동백나무

그 가지에 목걸이를 걸어 놓듯

내 이름이 적힌 팻말을 걸어놓을 수만 있다면

나는 내 목마저 맬 수 있었지만

이미 떠나온 곳에 봄이 찾아와서

텅 빈 손바닥엔 이름 모를 꽃만 만개하고

독서

책을 묵독하면

잊힌 소리가 들렸다

읽히면 살아나는 작은 천사들이

페이지가 넘어갈 때마다

붙잡을 수 없이 먼 곳으로 떠나갔다

한평생 자기 자신을 얼마나 이해할 수 있는가

천사는 생로병사에 관심을 두지 않는다

그 무엇에도 연연하지 않는다

책을 덮고 시험을 쳤다

백 점이었다

독후감을 쓰려고 백지를 들여다보면

거기 여백에 들어찬 빛이 있었다

창세의 말씀이었다

건조

비 맞은 우산을 세워두고

자리에 앉았다

앉은 자리에서도 빗소리는 계속 들리고

현관 앞에 둔 우산은 마르고 있었다

비 오는 날

누군가 귓속말로 무어라고 한 적 있었다

얼굴이 기억나지 않는다

누군가는 노래를 하기도 했으나

얼굴이 기억나지 않는다

빗물이 자꾸

머릿속을 씻어 내려가고 있었다

그리하여 화창한 날이 오면

쪼그라들 것이다

움직이지 않는 심장처럼

고요한 숲

고요한 순간에도 떠오르는 생각들은 있다

뿌리 내린 과실수, 무성한 관엽

빛 아래 널리 퍼져 나가는 무수한 가지

새들은 멀리 날기 위해 우듬지에 둥지를 틀고

고개를 위로 향한 개들이 컹컹 짖었다

산산이 부서진 고요의 잔해들이

윤슬 무늬로 떨어져 내린다

발치에 모여든 잔해들을 주워 들면

햇빛이 반사되어 눈에 상을 맺었다

색색의 생각들을 하나로 엮는 실이 있었다

살아가려면 이를 꽉 물고

그 실을 바늘에 꿰어야 했다

부서져 내린 고요를 만화경 문양으로 짜내고

오직 숨 쉬는 것만 생각하기로 했다

붉고 탐스러운 과실을 새가 물고 간다

가시광선으로 맺힌 상이 동쪽으로 간다

같은 자리

같은 자리예요

어제도 오늘도 그 의자 위

하는 상상도 비슷해요

버스와 참새와 운전 면허증과 떡볶이 같은

어제는 물을 마셨는데

오늘은 아이스티를 마십니다

어제는 점심으로 카레를 먹었고

오늘은 그냥 점심은 굶었어요

같은 자리입니다

오늘도 그 의자 위에서

동전과 경기장과 지하철과 좋아하던 노래

우산과 배낭과 드문드문 전하던 안부 인사

비슷한 상상으로 시간을 죽여요

멀어져 가는 상상을 붙잡고 끌어당기는

무거운 당신에게로

같은 각도로 기울어져 갑니다

별에 사로잡힌 행성의 역사대로

오늘도 돕니다

저녁엔 라면을 끓여야겠습니다

뜨거운 국물에

찬밥도 말아 먹으려고요

종이학

제 속을 파먹었다 진부한 속앓이였다

여위어가는 나를 보며

너는 공간의 춤을 춘다

세모 정사각형 마름모

죽은 개구리와 탁란

앞 다리를 두 번 꺾어 머리를 들고

뒷다리를 한 번 꺾어 꽁지깃을 세운다

날개를 펼치고도 날지 못하는 너를 엎는다

천 마리째, 드디어

세면대 위에 내려앉는 축사

천 번째 고요한 열매

천 캐럿 물방울 보석에 숨어버린 유령의 시선

아몬드

그냥 그렇게 죽어버릴까

고백하자면, 종이가 되고 싶었지

학이 된다는 약속을 살갗에 꾹꾹 눌러 적곤

꽃샘추위

차가운 물로 손을 씻고

차가운 물을 마셨습니다

발끝까지 시린 느낌에

떠난 추위를 떠올립니다

그때는 우리 모두 추워

서로의 온기라도 없으면 죽을 것만 같았는데

갑작스러운 봄기운

완연한 거리에 분홍 꽃비가 내리고

누군가의 마음은 얼어붙어

아직도 녹을 기미가 보이지 않지만

슬픔은 하등 관계없다는 듯

차가운 물보다 시린 낙화의 계절이 또 왔네요

신발장에도 남은 봄의 흔적이

일상에 짙은 분홍의 점을 찍고

여섯 장의 꽃잎으로 하고 싶은 말

줄이고 또 줄이다 보면

차가운 물은 점점점

뜨거워집니다

창공과 바다

책 한 줄이라도 더 읽으려는 마음

길을 걷다가 하늘을 올려다보는 마음

꽃잎을 밟지 않으려는 마음

숨을 깊게 들이쉬고 내쉬는 마음

앉는 자세를 바르게 하는 마음

미워하지 않으려 하는 마음

후회하지 않으려 하는 마음

오롯이 사랑으로 채워 넣으려고 하는 마음

그러나 늘 실패하고

구석에서 홀로 찌그러지는 마음

오늘은 창공과 바다에 대해 생각하였습니다

찌그러진 마음을 아무리 곧게 다려도

접혔던 자국은 영원토록 남겠지만

주름이 두렵다고 나이 들지 못하겠습니까

나목의 운명이 두려워

꽃을 피워내지 못하는 벚꽃이 있습니까

창공과 바다에도 꽃이 핍니다

그러니 곧 열매도,

씨앗도 영글 시간이 올 테죠

아찔한 저녁

모두에게서 달아나면 나는 혼자

흙을 파헤치는 손길도

자갈을 골라내는 손길도

물을 주는 손길도

모조리 말라비틀어져 낙엽처럼 뒹굴며 썩어도

나는 혼자 야산에 서서

오로지 햇빛만을 받아

무성하게 이파리를 피워 내려 했건만

어디선가 나타난 지렁이가 말하네

'그 어디에서도 너는 혼자일 수 없으리.'

떨어지는 이파리가 울고

떨어지는 꽃잎이 울고

휘어가는 나무줄기를 보며

나는 어디에 존재했는지 기억 못 하고

차갑고 아찔한 저녁

모두에게서 달아나면 나는 모두.

아스라히 떠밀려 가는 기억을 붙잡고

제 뿌리를 파먹는 미련한 고목이 되고

여름풀

당신은 푸릇푸릇한 여름풀을 이야기했습니다

제겐 누렇게 바랜 채 죽어버린 풀만 보였지만요

당신은 해맑은 아이들을 이야기했습니다

제겐 천천히 늙어가며 동시에 죽어가는 운명만 보였지만요

당신은 조용하고 사려 깊은 저에 대해 이야기했습니다

저는 당신 말이 두려워 숨어든 채 한동안 빛을 피했지만요

당신은 밤하늘에 뜬 몇 없는 별을 보면서도 노래를 불
렀습니다

어둠에 뚫린 구멍으로 쏟아져 내려오는

날카로운 허무에 찔린 제가 참지 못해 침묵이라도 하는
날엔

당신은 그저 웃으면서 그런 날도 있는 법이라고 했습니
다

저는 어느 날 책 속에서

어둠을 갉아먹는 무수한 별들을 발견해

당신에게도 보여 주고 싶어

등잔에다 별빛을 담아 두었습니다

당신은 이미 사라졌지만요,

인연의 이치대로 말입니다

몇 없는 별들마저 사라진 캄캄한 밤하늘 아래에서

등잔을 오래도록 바라보는 제게도

푸릇푸릇한 여름풀이 돋아나고 있습니다

여름풀은 밤하늘에 내리는 별을 볼 수 없습니다

가을이 오면 별빛을 담아 둔 등잔을 줄기에 매단 채

노래를 부르면서 다음해살이풀을 떠올릴 것입니다

당신이 가르쳐 준 대로

그런 삶도 있는 법이니까 말입니다

저녁 어스름에 풀잎이 떨리며

들어 본 적 없는 노래를 밤으로 흘려보냅니다

수석

비에 젖은 돌을 주워

이쁘게도 깎아 놨습니다

수석은 되지 못하더라도

차석은 만들어 주고 싶었습니다

날카롭게 깎여 나간 석영에

조각칼을 든 모습이 비칠 때마다

내 주제에 무슨.

반성을 하게 되더군요

비에 젖은 돌은 이젠

비에 젖지 않은 돌입니다

수석도 차석도 되지 못했지만

깎여 나간 돌은 떠나지 않습니다

발이 없는 돌은 배신을 모르니까요

순응만 배워 묵직하고 단단하니까요

그리하여 원망을 모르는 돌이

내가 될 때까지

천지는 그저 나 몰라라

내처럼 흐르기만 했습니다

밑동

벌목된 채 썩어가는 나무 밑동을 뛰어넘으며

코를 틀어막아도 풍겨 오는 악취를 맡으며

신발 밑창에 들러붙은 끈적한 진액을 떼어내며

바람은 하소연처럼 낮고 음울하고

햇빛은 그저 견딜 수 없이 뜨겁기만 하고

내리기 시작한 빗물이 모든 것을 부패시키고

네게 베인 상처가 참을 수 없이 아린 순간

나무 밑동에서 불현듯 송진향이 나는 것 같아 **뒤돌아보**

면

밑동 구멍 가득히 사슴벌레가 축제를 벌이네

모여든 나비가 아름답게 춤추네

갓 성충이 된 장수풍뎅이가 부부가 되네

고통이란 무엇인가

어찌할 수 없는 도끼는

누구 손에 도끼질이 되는가

손바닥 과실

관측하기 전

당신은 죽음도 삶도 아닙니다

관념 속에 틀어박힌

색도 향도 없는 과실입니다

어떤 날은 가지 끝에 매달린

당신 모가지를 따고 싶어

손바닥에 새로운 미래를 새기기도 했습니다

얽힌 선을 그은 것은 과거이건만

선이 포개지며 그려내는 형상은 현재가 되고

형상을 읽는 마음은 미래를 바라느니

당신은 무채색 과실처럼 대롱거리며

두려워하는 나를 비웃었습니다

나는 조롱을 견디지 못해

당신을 관측하기에 이릅니다

가지 끝에 목매단 당신 시체에선

빛도 향도 미래도 없이

오랫동안 구슬피 울던

꽃의 생애만 적혀 있더군요

생각과 나비

볕을 쬐며

향을 품고

고요 속으로

생각의 고삐를 풀고

머나먼 곳까지

갔다 올 수 있도록

돌아온 생각이 귓속말하기를

그 끝엔 역시 아무것도 없다 하고

하얗게 분칠한 나비가 콧잔등에 앉아

눈맞춤 하듯 말하기를

무엇에 목맸던가

목맬 가지가 없어 살아가지 않았던가

주홍빛이 도는 볕

향을 풀고

고요를 깨는 당신 목소리에

생각에 고삐를 채우고

하얀 나비를 날려 보내고

다소곳한 마음으로

아무것도 아닌 최후를 기다리고

일반 쓰레기

떨어뜨린 종이컵에 흙먼지가 묻었다

물 한 방울 담아본 적 없는 종이를

분리수거 통에 집어넣었다

종이 분리수거함 안에는

수많은 종이컵들이 젖지 않은 채 들어 있었다

도축을 기다리는 양 떼처럼

고요한 함 안에

손이 들어갔다 나온 후부터

커피를 마실 때마다

가슴에 흙먼지가 묻었다

가슴은 떼어낼 수도,

분리수거도 되지 않고

분리수거할 수 없는 것들은

모조리 불태우거나 매립해야만 했다

그러므로 나는

묻히기 전까지는

영영 불타게 되었다

검은 새

어떤 꿈을 꾸고 깨어났다

낯선 침대에서 일어났다

물을 마시고 나니

내 몸이 이제야 내 것 같았다

창밖엔 나비 대신 까마귀가 날았다

사람 머리통만 한 까마귀가 나를 응시했다

묻고 싶은 말이 많은 눈빛이었으나

아무것도 대답하고 싶지 않은 기분이었다

어떤 꿈은 흔적만 남았다

꿈을 기록하는 데엔 또다시 실패했다

물로 적시고 나니 안에 든 것이 드러났다

몸 안에 든 것은 까마귀들이었다

몸 안 까마귀는 매일 자라고

낯선 까마귀를 매일 잘라냈다

어떤 꿈은 거울에 흔적을 남겼다

세면대에 검은 흔적이 뚝뚝 떨어졌다

내 것이 아닌 것 같다고

함부로 잘려 나간 까마귀들이

늦가을에서 겨울 사이에

수시로 찾아와 철새가 되었다

멀리 떠나고 싶은 마음만 있고

돌아오고 싶은 마음은 없는 새들은

하늘 끝 너머 우주까지 날아올라

별과 별 사이에 검정이 되곤 했다

성간물질을 정의하고 분석하고 이용하려고

꿈만 꾸는 날들만 잦아졌다

주머니 같은 삶

당신의 말씀

간직하는 주머니 같은 삶

남루한 삶은

입안을 자주 곯게 하고

당신의 말씀 없는 날엔

텅 빈 마음으로 텅 빈 구석만 쏘아보다

허기진 배를 채우려

라면을 끓이고

푸석한 후춧가루를 한 가득 뿌리면

사레가 들려 타인의 말들을 모두 게워내고

빈 입안을 채우려

수첩에 적어놓은 말씀들을

곱씹고 곱씹고 곱씹으면

부르트고 메마른 입술 안에

당신 말씀을 필사한

작은 물고기들이 오래된 슬픔처럼 헤엄치고

별자리

같이 뛰자고 말하는 이가 있었다

강변 대숲을 스치는 바람처럼

매이지 않고도 벅찰 수 있는 방법으로

손과 발을 교차해 잇다 보면

달리는 남자의 별자리가 되었다

밤만 되면 별을 보러 가자던 이가 있었다

호수 벗나무를 스치는 바람처럼

나체로도 불안하지 않을 수 있는 방법으로

들숨과 날숨을 교대로 쉬다 보면

별자리의 별자리가 되었다

뚜렷한 이유도 없이 글을 쓰려는 이가 있다

스킨답서스 이파리에 쏟아내는 한숨처럼

배곯지 않으면서도 빈곤해지는 방법으로

연필을 깎고, 부러뜨리고 깎고, 부러뜨리다 보면

이부자리 위로 형형색색 별자리가 떠올랐다

제비꽃

공무원이 심어놓은 가로수 옆에

수십 년은 살아온 아름드리 나무 밑에

제비꽃이 폈다

그러면 안 됐지만

그냥 그렇게 폈다

얼마 시간이 흐른 것 같지도 않은데

한 점 보랏빛 시들어 간다

오로지 그러려고 핀 것처럼

순순히 시들어 간다

유리 닦기

평화와 오후,

유리에 잔뜩 묻은

하늘빛을 닦아내며

도로를 다리는 차들을 내려 본다

둥근 행성이 평평해질 때까지

누군가 길을 나섰다가

다시 돌아오고 있었다

선명한 유리 너머

거리엔 반듯하게 잘라놓은 꽃 덤불이

함부로 우거져 있고

오후를 잘 연마하면

꽃 피지 않은 유리에서도

자욱한 향기가 퍼져 나왔다

이 납작한 가슴 위

떨어지는 일 말고

둥그렇게 맺히는 일

애써 깨 부신 유리가

또다시 원형으로 돌아오는 일

당신이 내게 가르쳤던 모든 일들

그러니까 고작

유리를 닦는 일

끄트머리 금은

먼 미래에

당신이 벌릴 입이었다

너무 중요해

무수한 밑줄을 그어 놓은

표면

표면을 갖고 싶다

빛을 그러쥐고 움켜쥐고 놓아주지 않고

시꺼먼 숯처럼 덩그러니 서서

반듯하고, 흥지지 않은 표면을 갖고 싶었다

때로는 누구에게도 들키지 않고

투명 인간처럼 걸으며

시간의 노래에 귀를 기울이고

때로는 밤에 홀로 서서

하얀 달빛처럼 흔들리며

조수의 노래에 귀를 기울이며

우글쭈글한 손등에

시간은 조수간만을 새기고

콧잔등에 걸친 안경만 반듯할 뿐

표면을 갖고 싶었다

가진 적 없건만

눈 감으면 보이는 빛의 윤무

찻잎

지나치게 걱정이 많은 사람에겐

차를 우리도록 권장한다

어차피 마음대로 되는 것 하나 없다

갓 발아한 새싹이

사지가 찢겨 부직포 감옥에 들어갈 운명이었음을 어찌

알았겠느냐

손톱을 내려다보다가

티백을 빼내는 것을 잊고 말았다

고요한 연둣빛 물에 얼굴이 비쳤다

갓 돋아난 이파리를 닮은

우편

반듯한 조약돌

형형색색 빛

검은 강가에 내려앉는 별

아득한 노랫소리

몸을 떠는 풀벌레

그 오래된 풍경에 불을 지르고 도주하는 그림자

불타는 돌

불타는 물

불타는 빛

불타는 별

불타는 노래

불타는 벌레

자욱이 연기가 모여드는 곳

오두막을 짓고

홀로 늙어 죽을 거라던 그 사람이

손가락 마디를 잘라 쓴 글

붉은 인장으로 봉한 채

우편함에 꽂혀 있네

아지랑이

멀리 있는 것은 흐릿해지고

가까이 있는 것은 선명해지고

흐릿해지는 것은 선명해지고

선명한 것이 흐려지고

그리하여 원근감마저 흐려지고

일생 동안

멀리 있는 것만을 바라도록

교육받았다

내가 나로부터 멀어지는 밤에는

흐릿한 육체 위로 아른거리는

아지랑이를 보았다

그것을 영혼이라 믿고 싶었다

섬들

그냥 껄끄럽다

먹는 것도 보는 것도

그저 살아 숨 쉬는 것이 껄끄럽다

익숙해질 때도 됐는데 여전히 그렇다

삶을 모르는 외딴섬이 되고 싶었으나

바다엔 이미 섬들이 너무 많아

외따로 떨어질 수 없었다

섬들은 곁을 떠나지 않고 슬피 울었다

우는 소리가 겹겹이

파도처럼 나를 때렸다

불가사리 모양으로

서서히 깎여 나가며

아직 따가운 표피를

미친 듯이 벅벅 긁어대며

넘어가지 않은 밥을 물에 말았다

섬들이 밥술 위에 김치를 얹어 주었다

갓 볶은 멸치 새끼를 얹어 주었다

돌아앉은 사람

돌아앉은 사람에게 말을 건넸다

대답이 돌아오다 돌아앉아 버렸다

돌아앉으려는 사람에게 말을 건넸다

돌아온 대답은 차갑고 딱딱했다

차라리 돌아앉으라고 말을 건넸다

흔쾌히 돌아앉아 나를 보지 않았다

주변을 둘러보면 등이 많았다

견디다 못해 돌아앉은 빛 덕분에

깜깜하게 홀로 서 있는 등이 많았다

등을 보는 일은 익숙해지지 않고

차갑고 딱딱해 소름이 끼쳐

무더운 여름에도 긴소매를 찾게 했다

답답한 옷차림을 한 남자가

답답해 보여 돌아앉으려고 보니

눈동자가 **쉼터** 같은 동공으로

나를 보며 불을 껐다

아주 작은 빛마저 모두 앗아가 버리곤

잠시 돌아앉아 있으라고 권했다

깜깜해서 한 치 앞도 볼 수 없는 밤이 찾아왔다

그저 쉬고 싶어서 돌아앉은 자들이

눈동자 위로 이불을 덮어 주었다

선생님과 목련

선생님이 소리를 지르는 이유는 단 하나다

우리가 잘 되었으면 하는 바람을 가지고 계시기 때문이
다

잘 된 우리란, 잘 버는 직업을 가지게 된 우리를 의미한
다

잘 버는 직업을 가진 우리에겐 잘사는 방법이 자연스레
열리는 법이다

학교에서 선생님이 소리를 지르다 울기 시작했다

'잘' 버는 직업을 가진 선생님이 우는 이유는 단 하나다

교실 창문 너머로 목련꽃이 흐드러지게 피었다가 떨어지기 시작하는데

그 낙화의 무게만큼 무거운 짐을 지고 있는 학생들이 가여워서이다

'잘' 된 나는 잘 되어가던 학생 시절의 내가 보았던 봄을 잊지 못한다

목련 꽃잎이 문드러질 때 **어찌나 흉한 모습으로 썩어가는지를 잊지 못한다**

하얗고 두꺼운 꽃잎 끝이 오래된 바나나처럼 시꺼멓게 녹아내리다

마침 그 앞을 지나가던 정년을 앞둔 교장 선생님의 구두 뒤축에 짓눌렸다

뒤틀리고 문드러진 하얀 꽃잎은 일주일도 되지 않아 흔

적도 없이 사라져 있었다

선생님이 교실 뒤편에 아이들을 벌세우고 소리를 질렀

다

우리가 잘 되었으면 하는 간절한 바람을 가지고 계신데

우리 중 누군가는 자꾸 '잘' 된 우리 안에서 벗어나려고

테두리 바깥 외롭고 고된 삶 속에 투신하지 못해 안달

이 나 있었기 때문이었다

창문 너머를 보면 이 층 높이 목련 나무가

눈동자 없는 천 개의 눈으로 교실 안을 훔쳐보고 있었

다

우리 중 누군가는 시꺼멓게 썩어가며 뒤축에 짓눌려야

한다고 그것이 자연의 섭리라고

나무는 선생님 등 뒤에서 몰래몰래 속삭였다 두려워 감히 잊

히지 않는 음성이었다

의식용 가면

다음 시간에 계속합시다

오늘은 이만 말을 줄이고

잊히던 것들을 되새겨 봅시다

일기장을 펼쳤습니다

잊히던 것을 부활시키기 위해 원을 그리고

영혼을 접착하기 위해 피를 몇 방울 떨어뜨립니다

나는 내세울 것이 별로 없어서요

제식을 위해선 가면을 써야 했습니다

가면을 쓰고 나면 말이 술술 나와요

한 편 거짓을 써내고 나면 어찌나 내가 미워지던지

가면을 구겨 쓰레기통에 던져 넣고

잔뜩 화난 표정으로 의자에 앉아

한 편 축사 위에 또 다른 한 편을 덧씌우려 했지요

그것이 내가 되리란 미신을 믿었거든요

영의 힘을 빌려 써 내려 간 문장 뭉치 끝에

온점이 하나 찍혀 있었습니다

그 광택 나는 시꺼먼 표면을 응시하면

작디작은 거울상이 비쳐 보이는데

가면을 쓴 채

당신의 미래를 축복한다는 거짓,

아무렇지 않게 지껄이는 누군가가 비치는데...

그래요 오늘은 이만 말을 줄입니다

다음 시간에 계속하기로 합시다

그 말은 곧

다음에도 당신만은 만나고 싶다는 말.

아니었을까요

이중생활

밤이 되었습니다

바깥은 어둡지만 실내는 환합니다

컴퓨터를 켜 게임을 합니다

새벽이 될 때까지 악마를 학살합니다

해가 뜨려 합니다

바깥이 밝아옵니다

시체에서 악독한 심장을 도려낸 강인한 영웅이

귀환하기 위해 주문을 읊습니다

환대하는 마을 사람들을 보며

영웅은 무기를 내려놓습니다

이제 쉴 시간이라고 생각했는데

바깥은 아침입니다

교통카드를 챙겨 들고

돈을 벌러 가야 합니다

악마를 학살하던 **영웅이**

버스를 타고 출근이라니

거기다 환승까지 해야 한다니

아침 햇살은 유리창에 얼굴을 비춥니다

초췌한 음영으로 얼룩진 얼굴을

당신과 내가 유일하게 공유하는 것은

출근길의 얼굴뿐입니다

구절구절

몇 달 전 마음에 드는 구절을 발견했지

줄을 그어 놓고 하루 종일 생각했어

어느 날은 대화를 하다

나도 모르게 그날의 구절을 흘려 버렸고

상대방은 그 구절을 통해

나를 바라보며

나를 그런 사람이라고 생각해 버렸지

나는 그렇지 않은데

그저 그 구절에 감동한 독자일 뿐인데

몇 달을 더 그 구절로 말미암아 말할 수 있었고

그 구절이 나를 이루도록 허락했지

그리고 오늘은 그때의 우연처럼

또 다른 구절에 줄을 그었어

그러니 나를 읽으러 와

오래된 책처럼 꽂혀

때를 기다리는

 내 몸 나이테를 읽으러 와

노부부와 개 한 마리

늙은 여자가 밭은기침을 해대며

늙은 남자에게 안부를 물었다

그냥 살면 살아진다고, 늙은 남자가 갈라진 목소리로 대

답했다

청국장을 끓인다고 창이란 창은 모두 열었다

불어 들어오는 바람이 먼 곳의 노래를 물어왔다

방에 틀어박힌 개 한 마리가 제 혀를 씹으며

방 밖 소리에 귀를 기울이고 있었다

늙은 여자가 이젠 지쳤다고 울음이 난다고 했다

늙은 남자는 그 모든 과거가 후회된다고 했다

보리와 잡곡을 섞은 밥 한 공기가 식어가고

된장찌개 물컹한 두부를 숟가락으로 반 갈라

늙은 남자가 늙은 여자의 밥그릇 위에 얹어 두었다

털이 까만 짐승이 제 혀를 씹다 못해 짓이기며

자꾸 어려지는 앞발을 내려다보고 있었다

혀를 잘라낸 개는 산책하러 나가고 싶었다

아주 먼 곳까지

돌아오지 않아도 될 만큼 걷고 싶었다

"아무도 허락해 주지 않은, 첫 시집을 출판하는 이유"

-라면만 먹고 사는 작가 지망생의 고백-

글을 쓴다고 알리지 않은 채 혼자 기록만 해 왔다. 어느 순간부터 이 고독한 작업이 끊길 것을 염려했다. 누군가 내 글을 읽어주며 어떤 반응이라도 보여주길 원했다.

글을 쓰는 작업은 지독히 외롭다. 누군가와 함께 있으면 글이 써지지 않는다. 혼자 써야 한다. 물리적인 격리만을 뜻하는 것이 아니다. 자기 내면과 과거를 혼자 음미하고, 주변에서 얻은 수많은 자극을 자신만의 언어로 번역하는 과정을 거쳐야 한다. 번역 과정에서 타인과의 추억이 떠오른다. 하지만 글을 쓰며 되새기게 되는 타인과의 추억은 신뢰할 수 없는 배경에 불과하다.

적당히 편집된 얼굴과 몸짓 목소리와 사건의
줄거리. 정말 그것은 실존했는가, 아니면 그저 내
기억의 오류에 불과한 것은 아닐까.

오롯이 홀로 글을 쓰다 보면, 세상에 나 혼자
동떨어져 있는 것 같은 착각을 느낀다. 그때마다
글쓰기가 고통스러운 것이 되곤 한다. 가끔은 그
고독과 고통 때문에 지독할 정도로 부정적인 글을
쓰기도 한다. 그러고 싶지 않았다. 나는 그 정도로
어두운 사람이 아니다. 내 글은 나를 담아내야
하는데, 글을 쓰는 것이 나를 변하게 한다면
그것은 곧 일종의 자해가 되는 것이라 생각했다.
그리하여, 소통이 하고 싶어졌다.

누군가를 만날 때 항상 내 꿈은 작가라고
당당하게 말했다. 작가 지망생이라는 말이 멋있어
보이기도 하고 그 말이 내게로 다시 돌아와 글을
쓰는 원동력을 제공하기 때문이었다. 그럴 때마다

쓴 글을 보여줄 수 있는지 요청받았다. 예상
가능한 반응이었다. 그들이 그걸 원할 줄 알면서도
나는 항상 그렇게 말하고 다녔다. 요청은 항상
거절했다. 돌이켜 보면 모순되는 행동이었다.

이전에는 쓴 글을 남에게 보여 주고 싶지 않았다.
부끄러웠다. 평가받는 것이 두려웠다. 꽤 오랫동안
아무런 성과도 얻지 못하면서 그 두려움은 점점
더 자라났다. 누군가 내 글에 솔직한 피드백을
주었을 때, 바닥 없는 나락으로 떨어져 버릴 것
같았다. 비겁하면서도 안쓰러운 과거의 나에게
술이라도 한잔 사주고 싶지만. 그것은 허락되지
않은 일이다. 과거의 상처와 부끄러움을 오롯이
만끽해야만 앞으로 나아갈 힘을 얻을 수 있다.
어떤 편법도 통하지 않는다.

소통을 위해 힘을 뺐다.

솔직하게, 담담하게. 겪고 있는 감정들과 하고
있는 일들. 하고 싶은 일들을 적은 글 몇 편으로
작가가 되기로 했다. 작가라는 단어에 기대하고
있던 모든 허위를 버리기로 했다.

많은 사람이 내 글을 읽어주지는 않는다. 내 글의
독자는 대부분 가족이나 지인들이다. 그것도 얼마
안되는 수다. 그들이 내 글을 읽는 이유는 내 글이
좋아서가 아니다. 나에 대한 애정과 관심
때문이다. 하지만 뭐 어떤가. 긍정적으로
생각하자면, 나는 여전히 누군가에게 사랑받고
있다는 뜻이 아닌가.

"힘을 빼자."
나는 소통을 연습하고 있다. 하지만 어쩌면 힘
빼는 연습을 하는 걸지도 모른다. 어떤 집착이 내
정신을 어둡게 물들여 버리기 전에.

홀로 가고 있다고 생각한 이 길에. 함께 해주는 사람들이 있다. 여전히 글을 쓰는 나는 외롭지만. 고독 속에 누군가 숨겨 놓은 씨앗을 볼 수 있는 눈을 뜬다.